4

兒童
華語課本

CHILDREN'S
CHINESE READER

中英文版

Chinese-English
Edition

OVERSEAS CHINESE AFFAIRS COMMISSION
中華民國僑務委員會印行

序言

　　我海外僑胞遍佈全球，對中華文化一直懷有孺慕之情，也不遺餘力推動華文教育工作，爲的就是能讓華裔子弟接受中華文化的薰陶，使中華文化在海外能得以綿延不絕。本會有感於海外華文教育日益重要，並基於服務僑胞之一貫宗旨，曾多次邀集國內華語文教育專家學者，爲本會編寫多套華語文教科書。然而，由於海外環境不斷改變，傳統的教材已無法滿足僑胞之需求，本會特於民國八十二年編製這套具中英文對照之「兒童華語課本」教材。四年來，除廣受各界肯定外，採用本教材之僑校亦逐年增加。本會一方面彙整僑校華語文教師之意見，以供再版修正之用；另外亦主動瞭解海外實際需要，以期讓華裔子弟有更實用的華語文教材。

　　本教材主要提供小學一至六年級程度的學生使用，全套共計十二冊，採用循序漸進的方式編排。每冊分爲四課，設定不同的主題，將華語文的學習與中華文化的介紹，經過精心設計安排，融入每個教學單元當中。本書從簡單的問候語，到日常生活上所表達的詞彙，均已涵蓋；並將家庭、學校、人際互動等主題，適當地引入課文中。相信本書作爲一套華語基礎教材，必能引起學生主動學習的興趣，學習的效果亦可彰顯出來。此外，本書從第七冊起，內容加入民俗節慶、寓言及成語故事等題材，爲的是使

　　學生能在學習語言文字之餘，也能體認中華文化的精髓。本書亦逐冊逐課編寫作業簿，供學生做多元化的練習，以加強學生應用的能力。

　　　一套良好的教材，除了教材本身必須具備實用的要件外，更須有適當的媒介才能讓教材的優點發揮應有的功能，華文教師即是華語文教育中最重要的媒介。因此，在課本、作業簿之外，本書編輯小組也為教師編寫教學指引，提供教學所需之各項資料。希望教師能善用本書，在課堂上靈活運用，以引發學生學習興趣，增強教學效果。

　　　鑑於海外客觀條件之限制，華裔子弟在海外學習華語文，時間與空間均不若國內充足。若想突破此種環境之限制，則有賴於家長、教師及學生三方面的密切合作。除了教師應在課堂上安排生動活潑的自然學習環境之外，學生家長亦應參與課後之輔導工作，使華語文的學習能達到生活化與自然化的境界。

　　　這套教材在眾多的學者專家精心籌劃下誕生，本會在此特別感謝所有參與教材製編的專家學者。由於他們的精心規劃與認真編寫，使本教材方能順利出版。僑教工作是永續經營的良心事業，本會今後將更積極結合海內外專家學者與僑胞家長的力量，不斷改良海外華語文教材，提升華語文教學水準，讓海外學子由認識祖國文字，進而瞭解並喜愛中華文化，讓中華文化能在世界繼續傳揚。

僑務委員會委員長

焦　仁　和

兒童華語課本中英文版編輯要旨

一、本書為中華民國僑務委員會為配合北美地區華裔子弟適應環境需要而編寫，教材全套共計課本十二冊、作業簿十二冊及教師手冊十二冊。另每課製作六十分鐘錄影帶總計四十八輯，提供教學應用。

二、本書編輯小組及審查委員會於中華民國七十七年十一月正式組成，編輯小組於展開工作前擬定三項原則及五項步驟，期能順利達成教學目標：

(一)三項原則──

　(1)介紹中國文化與中國人的思維方式，以期海外華裔子弟能了解、欣賞並接納我國文化。

　(2)教學目標在表達與溝通，以期華裔子弟能聽、說、讀、寫，實際運用中文。

　(3)教材內容大多取自海外華裔子弟當地日常生活，使其對課文內容產生認同感，增加實際練習機會。

㈡五項步驟——

(1)分析學習者實際需要，進而決定單元內容。

(2)依據兒童心理發展理論擬定課程大綱：由具體事
物而逐漸進入抽象、假設和評估階段。

(3)決定字彙、詞彙和句型數量，合理地平均分配於
每一單元。

(4)按照上述分析與組織著手寫作課文。

(5)增加照片、插圖、遊戲和活動，期能吸引學童注
意力，在愉快的氣氛下有效率地學習。

三、本書第一至三冊俱採注音符號第一式（ㄅ、ㄆ、ㄇ、
ㄈ……）及第二式（羅馬拼音）。第四冊起完全以注
音符號與漢字對照為主。

四、本書適用對象包括以下三類學童：

㈠自第一冊開始——在北美洲土生土長、無任何華語
基礎與能力者。

㈡自第二冊開始——因家庭影響，能聽說華語，卻不

識漢字者。

㈢自第五或第六冊開始——自國內移民至北美洲，稍具國內基本國語文教育素養；或曾於海外華文學校短期就讀，但識漢字不滿三百字者。

五、本書於初級華語階段，完全以注音符號第一式及第二式介紹日常對話及句型練習，進入第三冊後，乃以海外常用字作有計劃而漸進之逐字介紹，取消注音符號第二式，並反覆練習。全書十二冊共介紹漢字 1160個，字彙、詞彙共 1536 個，句型 217 個，足供海外華裔子弟閱讀一般書信、報紙及書寫表達之用。並在第十一冊、十二冊增編中國四大節日及風俗習慣作閱讀的練習與參考。

六、本書教學方式採溝通式教學法，著重於日常生活中的表達與溝通和師生間之互動練習。因此第一至七冊完全以對話形態出現；第八冊開始有「自我介紹」、「日記」、「書信」和「故事」等單元，以學生個人

生活經驗為題材，極為實用。

七、本書每一主題深淺度也配合著兒童心理之發展，初級
課程以具象實物為主，依語文程度和認知心理之發展
逐漸添加抽象思考之概念，以提升學生自然掌握華語
文實用能力。初級課程之生字與對話是以口語化的發
音為原則，有些字需唸輕聲，語調才能自然。

八、本書編輯旨意，乃在訓練異鄉成長的中華兒女，多少
能接受我中華文化之薰陶，毋忘根本，對祖國語言文
化維繫著一份血濃於水的情感。

九、本書含教科書、作業簿及教師手冊之編輯小組成員為
何景賢博士，宋靜如女士，及王孫元平女士，又經美
國及加拿大地區僑校教師多人及夏威夷大學賀上賢教
授參與提供意見，李芊小姐、文惠萍小姐校對，始克
完成。初版如有疏漏之處，尚祈教師與學生家長不吝
惠正。

以下為注音符號第一式、第二式及漢語拼音各式對照表：

類別	注音符號第一式	注音符號第二式	漢語拼音
（一）聲母			
唇音	ㄅ ㄆ ㄇ ㄈ	b p m f	b p m f
舌尖音	ㄉ ㄊ ㄋ ㄌ	d t n l	d t n l
舌根音	ㄍ ㄎ ㄏ	g k h	g k h
舌面音	ㄐ ㄑ ㄒ	j(i) ch(i) sh(i)	j(i) q(i) x(i)
翹舌音	ㄓ ㄔ ㄕ ㄖ	j(r) ch(r) sh r	zh ch sh r
舌齒音	ㄗ ㄘ ㄙ	tz ts(z) s(z)	z c s
（二）韻母			
單韻	ㄧ ㄨ ㄩ	(y)i u,w iu,yu	i u ü
單韻	ㄚ ㄛ ㄜ ㄝ	a o e e	a o e e
複韻	ㄞ ㄟ ㄠ ㄡ	ai ei au ou	ai ei ao ou
隨聲韻	ㄢ ㄣ ㄤ ㄥ	an en ang eng	an en ang eng
捲舌韻	ㄦ	er	er

目錄
Contents

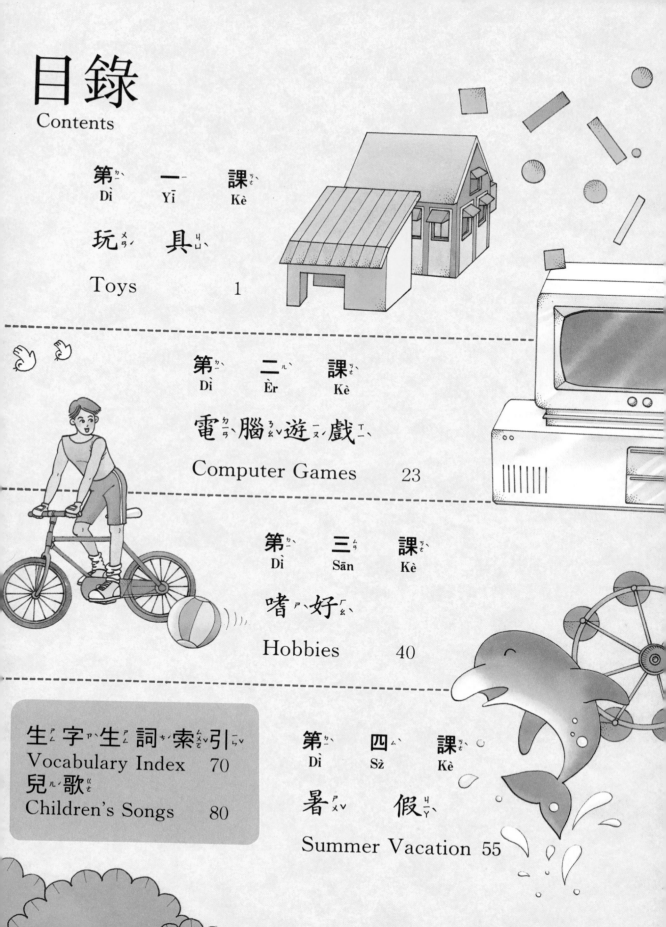

第一課
Dì Yī Kè

玩具
Toys

I 對　話

（ Dialogue ）

第 一 部	Part 1
李欣欣	你有什麼玩具？
林一平	我有積木。
李欣欣	我們來玩積木好不好？
林一平	好哇！
李欣欣	我們來蓋房子。
林一平	蓋什麼樣的房子？
李欣欣	我要蓋一棟平房，你呢？
林一平	我要蓋一個博物館。

李欣欣 　我們先做地基， 用什麼顏色的積木好？

林一平 　綠色怎麼樣？

李欣欣 　好哇！

　　　　牆壁用什麼顏色的

　　　　積木好？

　　　　黃色的好嗎？

林一平 　不錯，屋頂就用咖啡色的吧。

I 對 話

（ Dialogue ）

李欣欣

門和窗子呢？

白色。 對了！

還要一個粉紅色的

小狗屋。

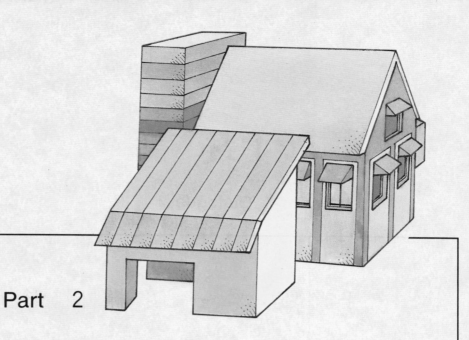

第 二 部	Part 2
林一平	我要蓋一個很大的博物館，有圓形的屋頂。
李欣欣	什麼樣的門？
林一平	三角形的門。
李欣欣	什麼樣的窗子？
林一平	正方形或長方形的窗子。
李欣欣	還要什麼呢？

I 對　話

（ Dialogue ）

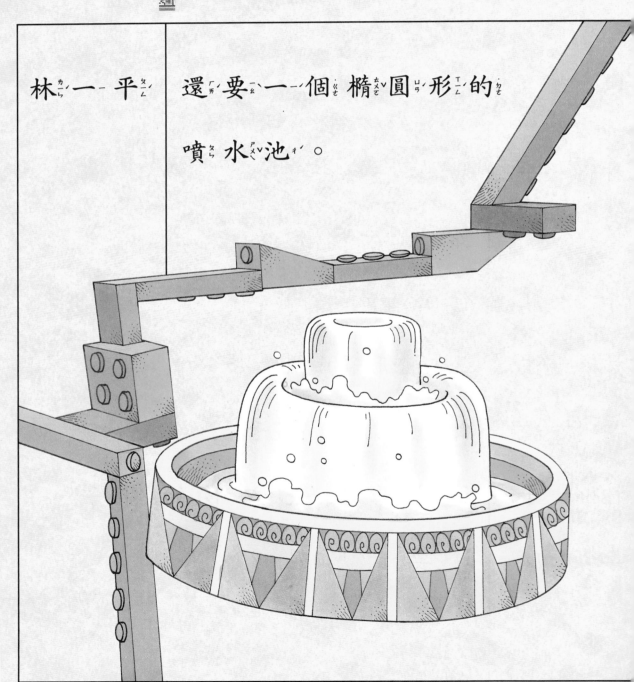

林一平　還要一個橢圓形的噴水池。

第 三 部　Part 3

李欣欣　你還有什麼玩具？

林一平　我還有遙控汽車。

李欣欣　我可以看看嗎？

林一平　當然可以。你看！

　　　　我一按遙控器，輪子就

　　　　動了。

李欣欣　方向呢？

I 對　話

(Dialogue)

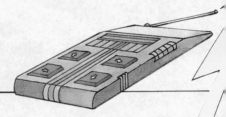

林一平	很簡單。我一按遙控器方向就變了。你看！左，左，右，右，左，右左。
李欣欣	你的遙控汽車真好玩兒。 （ㄨㄚˊ ㄦ）

II 生字生詞

(Vocabulary & Expressions)

1. 玩具 wán jiu — toy

2. 積木 jimù — building blocks

3. 玩 wán — to play

4. 蓋 gài — to build

5. 房子 fángtz — house

6. 什麼樣 shémme yàng — what kind

7. 棟 dùng — measure word for buildings

8. 平房 píng fáng — ranch house

9. 博物館 buówù gǔan — museum

10. 哇 wa — wa (final particle indicating admiration agreement or exhortation)

11. 先 shian — first

12. 地基 dìji — foundation

13. 用 yùng — to use

14. 怎麼樣 tzěmme yàng — what about how about

15. 牆壁 chíangbì — wall

16. 不錯 bútsùo — not bad

17. 屋頂 wūding — roof

18. 就 jiòu — just

II 生字生詞

(Vocabulary & Expressions)

19. 咖啡色 kāfēi sè — brown

20. 窗子 chuāngtz — window

21. 圓形 yuán shíng — round;circle

22. 三角形 sānjiǎu shíng — triangular, triangle

23. 正方形 jèngfāng shíng — square

24. 或 huò — or

25. 長方形 chángfāng shíng — rectangular(adj) rectangle（N）

26. 橢圓形 tuǒyuán shíng — oval

27. 噴水池 pēnshǔei chŕ — fountain

28. 遙控 yáukùng — remote control

29. 汽車 chichē — car

30. 當然 dāng rán — of course

31. 按 àn — to press

32. 遙控器 yáukùng chì — remote control

33. 輪子 lúentz — wheel

34. 動 dùng — to move

35. 方向 fāngshiàng — direction

36. 變 bian — to change

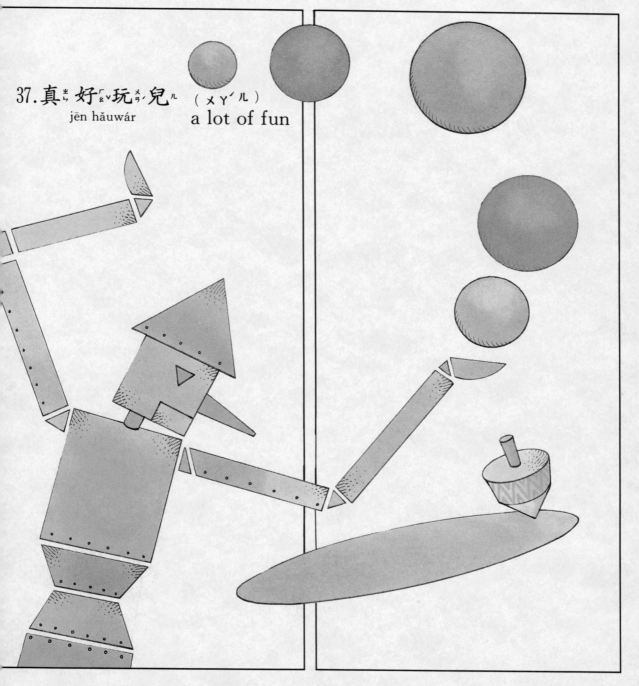

37.真「幺」好「幺」玩「ㄨㄢ」兒「ㄦ」（ㄨㄚˊㄦ）
jēn hǎuwár　a lot of fun

Ⅲ 句型練習

(Pattern Practice)

1.　你　　　　有什麼玩具？

　　他　　　　　　點心

　　冰箱裡　　　　水果

2.　我們來玩積木。

　　　　　蓋房子

　　　　　做派

　　　　　洗手

3.　我們來做　爆米花　好不好？

　　　　　　冰淇淋

　　　　　　蘋果派

4. 蓋ㄍㄞˋ 什ㄕㄜˊ麼ㄇㄜ樣ㄧㄤˋ的ㄉㄜ 房ㄈㄤˊ子ㄗ？

   做ㄗㄨㄛˋ　　　　　　派ㄆㄞˋ

   　　　　　　　冰ㄅㄧㄥ淇ㄑㄧˊ淋ㄌㄧㄣˊ

5. 我ㄨㄛˇ　　要ㄧㄠˋ蓋ㄍㄞˋ　一ㄧ棟ㄉㄨㄥˋ平ㄆㄧㄥˊ房ㄈㄤˊ。

   她ㄊㄚ　　　　　　一ㄧ個ㄍㄜˋ博ㄅㄛˊ物ㄨˋ館ㄍㄨㄢˇ。

   媽ㄇㄚ媽ㄇㄚ　　做ㄗㄨㄛˋ　兩ㄌㄧㄤˇ個ㄍㄜˋ草ㄘㄠˇ莓ㄇㄟˊ派ㄆㄞˋ。

6. 我ㄨㄛˇ們ㄇㄣ　先ㄒㄧㄢ　做ㄗㄨㄛˋ　地ㄉㄧˋ基ㄐㄧ。

   他ㄊㄚ們ㄇㄣ　　　買ㄇㄞˇ　菜ㄘㄞˋ

   你ㄋㄧˇ們ㄇㄣ　　　洗ㄒㄧˇ　手ㄕㄡˇ

   她ㄊㄚ們ㄇㄣ　　　吃ㄔ　飯ㄈㄢˋ

   王ㄨㄤ芸ㄩㄣˊ　　　打ㄉㄚˇ　電ㄉㄧㄢˋ話ㄏㄨㄚˋ

Ⅲ 句型練習

(Pattern Practice)

7. 　　　　　顏色

　　　　什麼顏色

　　　用　什麼　顏色

　牆壁用什麼顏色的好

　窗子用什麼顏色的好

　屋頂用什麼顏色的好

8. 屋頂　就用　咖啡色的積木吧。

　窗子　　　　白　色

　門　　　　　黃　色

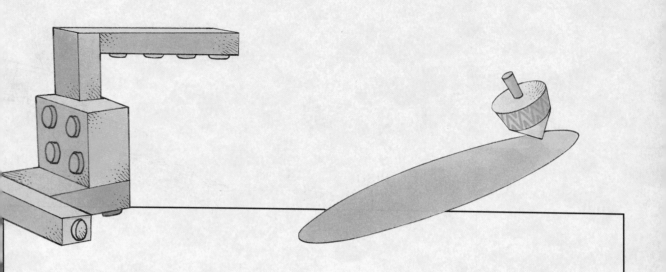

9. 我ㄨㄛˇ可ㄎㄜˇ以ㄧˇ看ㄎㄢˋ看ㄎㄢˋ嗎ㄇㄚ˙？

　　玩ㄨㄢˊ玩ㄨㄢˋ

　　用ㄩㄥˋ用ㄩㄥˋ

　　數ㄕㄨˇ數ㄕㄨˇ

10. 我ㄨㄛˇ一ㄧ按ㄢˋ遙ㄧㄠˊ控ㄎㄨㄥˋ器ㄑㄧˋ，　輪ㄌㄨㄣˊ子ㄗ˙就ㄐㄧㄡˋ動ㄉㄨㄥˋ了ㄌㄜ˙。

　　　　　　　　　　　　　方ㄈㄤ向ㄒㄧㄤˋ就ㄐㄧㄡˋ變ㄅㄧㄢˋ了ㄌㄜ˙

　她ㄊㄚ一ㄧ閉ㄅㄧˋ上ㄕㄤˋ眼ㄧㄢˇ睛ㄐㄧㄥ˙，　媽ㄇㄚ媽ㄇㄚ˙就ㄐㄧㄡˋ來ㄌㄞˊ了ㄌㄜ˙

Ⅳ 英 譯

(English Translation)

Part 1：

李ㄌㄧˇ欣ㄒㄧㄣ欣ㄒㄧㄣ　　What kind of toys do you have?

林ㄌㄧㄣˊ一ㄧˋ平ㄆㄧㄥˊ　　I have building blocks.

李ㄌㄧˇ欣ㄒㄧㄣ欣ㄒㄧㄣ　　Let's play with building blocks, OK ?

林ㄌㄧㄣˊ一ㄧˋ平ㄆㄧㄥˊ　　OK.

李ㄌㄧˇ欣ㄒㄧㄣ欣ㄒㄧㄣ　　Let's build a house.

林ㄌㄧㄣˊ一ㄧˋ平ㄆㄧㄥˊ　　What kind of house?

李ㄌㄧˇ欣ㄒㄧㄣ欣ㄒㄧㄣ　　I'd like to build a ranch house.　What about you?

林ㄌㄧㄣˊ一ㄧˋ平ㄆㄧㄥˊ　　I'd like to build a museum.

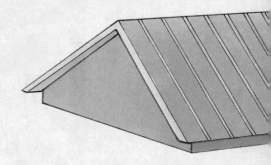

李ㄌㄧˇ欣ㄒㄧㄣ欣ㄒㄧㄣ	Let's make the foundation first. What color do you think is best?
林ㄌㄧㄣˊ一ㄧ平ㄆㄥˊ	How about green?
李ㄌㄧˇ欣ㄒㄧㄣ欣ㄒㄧㄣ	O. K.! Hmm! What color is the best for walls? How about yellow?
林ㄌㄧㄣˊ一ㄧ平ㄆㄥˊ	Not bad! Let's use brown for the roof. What about the door and the windows?
李ㄌㄧˇ欣ㄒㄧㄣ欣ㄒㄧㄣ	White. Oh yes, we still need a little pink dog house.

Ⅳ英 譯

(English Translation)

Part 2：

林_{ㄌㄧㄣˊ}一_ㄧ平_{ㄆㄧㄥˊ}　　I'd like to build a big museum with a round roof.

李_{ㄌㄧˇ}欣_{ㄒㄧㄣ}欣_{ㄒㄧㄣ}　　What kind of door?

林_{ㄌㄧㄣˊ}一_ㄧ平_{ㄆㄧㄥˊ}　　A triangular door.

李_{ㄌㄧˇ}欣_{ㄒㄧㄣ}欣_{ㄒㄧㄣ}　　What kind of windows?

林_{ㄌㄧㄣˊ}一_ㄧ平_{ㄆㄧㄥˊ}　　Square or rectangular windows.

李_{ㄌㄧˇ}欣_{ㄒㄧㄣ}欣_{ㄒㄧㄣ}　　What else?

林_{ㄌㄧㄣˊ}一_ㄧ平_{ㄆㄧㄥˊ}　　And an oval fountain.

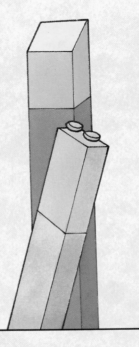

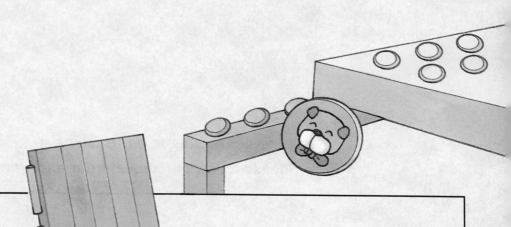

Part 3：

李_カ欣_T欣_T   What other toys do you have?

林_カ一_一平_タ   I have a remote control car.

李_カ欣_T欣_T   Can I see it?

林_カ一_一平_タ   Of course you may.   Look! As soon as I press the remote control, the wheels move.

李_カ欣_T欣_T   What about direction?

林_カ一_一平_タ   That's easy! The direction changes as soon as I press the remote control. See?
Left, left, right, right, left, right, left.

李_カ欣_T欣_T   Your remote control car is a lot of fun.

V 寫中國字

Let's learn how to write Chinese characters.

Please follow the stroke order and write each one ten times.

生字及注音		部首	筆順
上 ㄕㄤˋ	shàng	一 ㄧ	丨 卜 上
下 ㄒㄧㄚˋ	shià	一 ㄧ	一 丅 下
有 ㄧㄡˇ	yǒu	月 ㄩㄝˋ	一 ナ 𠂇 冇 有 有
兒 ㄦˊ	ér	儿 ㄖㄣˊ	ノ 亻 仢 伯 臼 臼 臼 兒
那 ㄋㄚˋ	nà／nèi	邑 ㄧˋ	𠃌 ヨ ヨ 月 尹 那 那
知 ㄓ	jr̄	矢 ㄕˇ	ノ 𠂉 ⺈ 午 矢 矢 知 知
要 ㄧㄠˋ	yàu	襾 ㄧㄚˋ	一 冖 冂 襾 襾 西 覀 要 要
客 ㄎㄜˋ	kè	宀 ㄇㄧㄢˊ	丶 丷 宀 宂 夂 安 客 客 客
氣 ㄑㄧˋ	chì	气 ㄑㄧˋ	ノ 𠂉 ⺈ 气 气 气 氣 氣 氣 氣
道 ㄉㄠˋ	dàu	辵 ㄔㄨㄛˋ	丶 丷 䒑 䒑 ⺦ 首 首 首 首 首 道 道
這 ㄓㄜˋ	jè	辵 ㄔㄨㄛˋ	丶 亠 亠 亠 言 言 言 言 這 這
裡 ㄌㄧˇ	lǐ	衣 ㄧ	丶 ㇇ 礻 礻 衤 衤 衵 衵 衵 裡 裡 裡（裏）
嗎 ˙ㄇㄚ	ma	口 ㄎㄡˇ	丨 ㄇ 口 叮 叮 吁 吁 吁 嗎 嗎 嗎 嗎 嗎
誰 ㄕㄟˊ	shéi	言 ㄧㄢˊ	丶 亠 亠 亠 亠 言 言 言 訁 訁 訁 訁 誰 誰 誰
謝 ㄒㄧㄝˋ	shiè	言 ㄧㄢˊ	丶 亠 亠 亠 亠 言 言 言 訁 訁 訁 訁 謝 謝 謝 謝

VI 讀中國字

Let's learn how to read Chinese characters.

上	上車(get on the bus, get in the car)
下	下來(get down, come down)
有	我問你，老師有哥哥嗎？
兒	這兒。在那兒？
那	上那兒？那是校車。
知	知道
要	她要什麼？要 ㄕㄨㄟˇ　ㄍㄨㄛˇ
客	客人來了。(The guest has arrived.)
氣	客氣。好客氣。
道	不知道
這	這是我家。
裡	這裡，那裡
嗎	你有弟弟嗎？他好不好？
誰	他是誰？誰回來了？
謝	謝謝你。不謝。(You're welcome.)

Ⅶ 你會讀下面的句子嗎？

Can you read the following sentences ?

1. 你上那兒去？我要回家。
2. 你的 ㄕㄨㄟˇ ˙ㄅㄚ 在那裡？我們都知道。
3. 誰知道他的名字？我們都知道。
4. 你姐姐叫什麼？他不知道。
5. 王老師請坐，不要客氣。
6. 你爸媽好嗎？謝謝，他們很好。
7. 王媽媽再見，小妹再見。
8. 爸爸要 ㄏㄜ 什麼？要 ㄎㄜˇ ㄌㄜˋ。
9. 這是我的朋友 ㄌㄧˇ ㄌㄧˋ，那是他的
   哥哥。
10. 請你去看看，校車來了嗎？謝謝你。

第二課
Dì Èr Kè

電腦遊戲
Computer Games

I 對　話

(Dialogue)

第　一　部	Part　1
李立	小妹，我們來玩電腦遊戲。
李欣欣	玩什麼？
李立	我們來玩「打老虎」。
李欣欣	不要。星期一玩過了。我們來玩「機器人大戰老巫婆」。
李立	好啊！　誰先？
李欣欣	猜拳怎麼樣？
李立	好啊！

24

李欣欣	剪刀、石頭、布。 一、二、三。 哈！我贏了！我要先玩。 二，四，六，八，十，十二， 十四，十六，十八，二十， 二二，二四，二六，二八， 三十，三二，三四……
李立	快呀！快追呀！ 再吃一個。

25

I 對　話

(Dialogue)

李欣欣	一八二，一八四。
李立	左邊，左邊，右邊，右邊， 上頭，下頭，左，右， 上，下。
李欣欣	二八四，二八六，二八八。 啊！死了！死了！ 討厭的老巫婆。

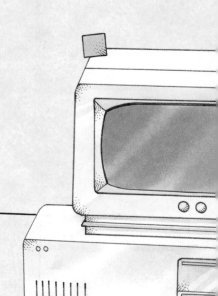

第二部	Part 2
李欣欣	哥哥，除了電腦遊戲，電腦還能做什麼呢？
李立	喔！電腦可以幫我們做好多事（兒）。比方說，加，減，乘，除做算術習題，寫作文跟寫信。
李欣欣	我可以用電腦畫圖嗎？

I 對　話

(Dialogue)

李立	當然可以。我們可以用電腦設計各式各樣的圖案。
李欣欣	電腦好棒！我好喜歡電腦。

II 生字生詞

(Vocabulary & Expressions)

1. 電腦 diànnǎu — computer

2. 遊戲 yóushì — game

3. 打 dǎ — to fight ; to hit

4. 不要 bú yàu — No, I don't want it.

5. 過 gùo — have (has) done (in the past)

6. 機器人 jīchì rén — robot

7. 戰 jàn — to battle

8. 巫婆 wūpuó — witch

9. 猜拳 tsāi chiuán — a finger guessing game; mora

10. 剪刀 jiǎndāu — scissors

11. 布 bù — cloth

12. 哈 hā — Ha !

13. 贏 yíng — to win

14. 追 juēi — to chase ; to go after

15. 再 tzài — more ; again

16. 死 sž — to die

17. 討厭的 tǎuyàn de — annoying

18. 除了 chúle — besides ; in addition to

19. 比ㄅㄧˇ方ㄈㄤ 說ㄕㄨㄛ   for example ；
    bǐfāng shuō   for instance

20. 加ㄐㄧㄚ   to add / addition
    jiā

21. 減ㄐㄧㄢˇ   to subtract /
    jiǎn   subtraction

22. 乘ㄔㄥˊ   to multiply/
    chéng   multiplication

23. 除ㄔㄨˊ   to divide /
    chú   division

24. 算ㄙㄨㄢˋ術ㄕㄨˋ   arithmetic
    suànshù

25. 習ㄒㄧˊ題ㄊㄧˊ   exercise
    shítí

26. 寫ㄒㄧㄝˇ   to write
    shiě

27. 作ㄗㄨㄛˋ文ㄨㄣˊ   composition
    tzùowén

28. 信ㄒㄧㄣ   letter
    shìn

29. 畫ㄏㄨㄚˋ   to draw
    huà

30. 圖ㄊㄨˊ   picture
    tú

31. 設ㄕㄜˋ計ㄐㄧˋ   to design
    shèji

32. 各ㄍㄜˋ式ㄕˋ各ㄍㄜˋ樣ㄧㄤˋ的ㄉㄜ all kinds
    gèshr̀   gèyàngde

33. 圖ㄊㄨˊ案ㄢˋ   pattern
    tú   àn

34. 呀ㄧㄚ   (final particle
    ya   indicating
         agreement or
         admication
         exhortation)

Ⅲ 句型練習

(Pattern Practice)

1.

	V.	過了
星期	一 玩	過了。
	二 去	
	三 吃	
昨 天	洗	

Ⅲ 句型練習

(Pattern Practice)

2. _____ 要ㄧㄠˋ先ㄒㄧㄢ _____ V.

我ㄨㄛˇ 　要ㄧㄠˋ先ㄒㄧㄢ 　玩ㄨㄢˊ。

他ㄊㄚ 　　　　　　去ㄑㄩˋ

你ㄋㄧˇ 　　　　　　吃ㄔ

3. 除ㄔㄨˊ了ㄌㄜ電ㄉㄧㄢˋ腦ㄋㄠˇ遊ㄧㄡˊ戲ㄒㄧˋ，　電ㄉㄧㄢˋ腦ㄋㄠˇ還ㄏㄞˊ能ㄋㄥˊ做ㄗㄨㄛˋ

什ㄕˊ麼ㄇㄜ呢ㄋㄜ？

除ㄔㄨˊ了ㄌㄜ平ㄆㄧㄥˊ房ㄈㄤˊ，　　　　你ㄋㄧˇ還ㄏㄞˊ會ㄏㄨㄟˋ蓋ㄍㄞˋ什ㄕˊ麼ㄇㄜ呢ㄋㄜ？

除ㄔㄨˊ了ㄌㄜ水ㄕㄨㄟˇ果ㄍㄨㄛˇ派ㄆㄞˋ　　　她ㄊㄚ還ㄏㄞˊ會ㄏㄨㄟˋ做ㄗㄨㄛˋ什ㄕˊ麼ㄇㄜ呢ㄋㄜ？

4. 電腦可以幫我們做好多事（兒）。

   我　　可以幫媽媽做飯。

   哥哥會　　幫我　　寫信。

   姐姐能　　幫我　　寫作文。

5. 我　　可以　　用電腦　　畫圖嗎？

   你　　會　　　　　　　　寫信嗎

   她　　能　　　　　　　　設計圖案嗎

Ⅳ 英　譯

(English Translation)

Part　1：

李<ruby>立<rt>ㄌㄧˋ</rt></ruby>　Shiau mei.　Let's play computer games.

李<ruby>欣<rt>ㄒㄧㄣ</rt></ruby><ruby>欣<rt>ㄒㄧㄣ</rt></ruby>　What do you want to play?

李<ruby>立<rt>ㄌㄧˋ</rt></ruby>　Let's play "Fighting the Tiger."

李<ruby>欣<rt>ㄒㄧㄣ</rt></ruby><ruby>欣<rt>ㄒㄧㄣ</rt></ruby>　No. We played it on Monday. Let's play "The Robot Battles the Old Witch."

李<ruby>立<rt>ㄌㄧˋ</rt></ruby>　All right! Who goes first?

李<ruby>欣<rt>ㄒㄧㄣ</rt></ruby><ruby>欣<rt>ㄒㄧㄣ</rt></ruby>　Well!　How about finger guessing?

李<ruby>立<rt>ㄌㄧˋ</rt></ruby>　All right!　Scissors, stone, cloth (paper). One, two , three.

李ㄌㄧˇ欣ㄒㄧㄣ欣ㄒㄧㄣ　Ha! I won.　I'm first.
Two, four, six, eight, ten, twelve, fourteen,
sixteen, eighteen, twenty, twenty-two, twenty-four,
twenty-six, twenty-eight, thirty, thirty-two,
thirty-four ……

李ㄌㄧˇ　立ㄌㄧˋ　Hurry up! Chase her. Get one more.

李ㄌㄧˇ欣ㄒㄧㄣ欣ㄒㄧㄣ　A hundred and eighty-two, a hundred and
eighty-four.

李ㄌㄧˇ　立ㄌㄧˋ　Left, left, right, right, up, down, left, right, up, down.

李ㄌㄧˇ欣ㄒㄧㄣ欣ㄒㄧㄣ　Two hundred and eighty-four, two hundred and
eighty-six, two hundred and eighty- eight. Oh! It
died! It died! Annoying old witch!

Ⅳ英 譯

(English Translation)

Part 2 :

李欣欣　Gege. Besides computer games, what else can computers do?

李立　Oh! Computers can help us with many things. For example, addition, subtraction, multiplication, division, arithmetic exercises, and writing compositions and letters.

李欣欣　Can I use the computer to draw pictures?

李立　Of course you can. We can use the computer to design all kinds of patterns.

李欣欣　Great! I like computers!

V 寫中國字

Let's learn how to write Chinese characters.
Please follow the stroke order and write each one ten times.

生字及注音		部首	筆　　　　　　　　　　　　順
耳ㄦˇ	ěr	耳ㄦˇ	一 厂 厂 FF 耳 耳
朵ㄉㄨㄛ	duo	木ㄇㄨˋ	ノ 几 几 朵 朵 朵
眼ㄧㄢˇ	yǎn	目ㄇㄨˋ	丨 冂 冂 月 目 目 目 目 眼 眼 眼
睛ㄐㄧㄥ	jīng	目ㄇㄨˋ	丨 冂 冂 月 目 目 睛 睛 睛 睛 睛 睛 睛
左ㄗㄨㄛˇ	tzuǒ	工ㄍㄨㄥ	一 ナ 左 左 左
右ㄧㄡˋ	yòu	口ㄎㄡˇ	一 ナ ナ 右 右
鼻ㄅㄧˊ	bí	鼻ㄅˊ	′ ′ 竹 竹 白 白 自 鳥 鳥 鳥 畠 鼻 鼻 鼻
子ㄗ	tz	子ㄗˇ	了 了 子
嘴ㄗㄨㄟˇ	tzuěi	口ㄎㄡˇ	丨 冂 口 吖 吖 吖 吖 吵 咔 咔 唭 嘴 嘴 嘴 嘴
巴ㄅㄚ	ba	己ㄐㄧˇ	了 刀 卩 巴
眉ㄇㄟˊ	méi	目ㄇㄨˋ	ノ 厂 尸 尸 尺 眉 眉 眉 眉
毛ㄇㄠˊ	máu	毛ㄇㄠˊ	′ 二 三 毛
漂ㄆㄧㄠˋ	piàu	水(氵)ㄕㄨㄟˇ	′ ′ 氵 氵 汙 沪 沪 漂 漂 漂 漂 漂 漂
亮ㄌㄧㄤˋ	liàng	亠ㄊㄡˊ	′ 二 六 古 古 声 亮 亮 亮
手ㄕㄡˇ	shǒu	手ㄕㄡˇ	′ 二 三 手

Ⅵ 讀中國字

Let's learn how to read Chinese characters.

耳	耳朵。
朵	大耳朵。
眼	眼睛好大。
睛	眼睛小。
左	妹妹在左ㄅㄧㄢ。
右	我在左ㄅㄧㄢ，你在右ㄅㄧㄢ。
鼻	鼻子。
子	一個鼻子。
嘴	他的嘴好小。
巴	嘴巴在鼻子下˙ㄊㄡ。
眉	眉毛。
毛	你的眉毛在那兒？
漂	誰漂亮？我不知道。
亮	我們的老師好漂亮。
手	左ㄅㄧㄢ的手叫左手，右ㄅㄧㄢ的手叫右手。

Ⅶ 你會讀下面的句子嗎？

Can you read the following sentences？

1. 我姐姐的眼睛很大，耳朵很小。
2. 你有幾個耳朵？ ㄌㄧㄤˇ 個，一個在左，一個在右。
3. 你的眼睛在那兒？ 眉毛下 ㄅㄧㄢ 。
4. 他們都叫他大鼻子，大嘴巴。
5. 小妹妹很好，謝謝你。
6. 我朋友的爸媽很客氣。
7. 朋友來了，請坐！不要客氣。
8. 姐姐的眼睛好漂亮，妹妹也漂亮。
9. 請你來我家，我家在他家右 ㄅㄧㄢ 。
10. 左 ㄅㄧㄢ 的手叫左手，右 ㄅㄧㄢ 的手叫右手，你知道嗎？

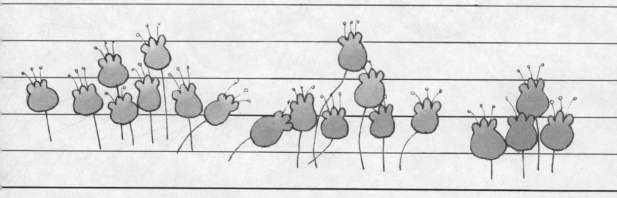

第^{ㄉ一ˋ}三^{ㄙㄢ}課^{ㄎㄜˋ}
Dì　Sān　Kè

嗜^{ㄕˋ}好^{ㄏㄠˋ}
Hobbies

I 對　話

（ Dialogue ）

第　一　部	Part　1
王芸	你週末都做些什麼？
李立	打球，騎腳踏車，有時去露營。你呢？你有些什麼嗜好？
王芸	我也打球，騎腳踏車，可是我們不去露營。我媽討厭露營。
王芸	你喜歡畫畫兒嗎？
李立	喜歡。你呢？

I 對 話

(Dialogue)

王芸	我也喜歡。我喜歡畫人和馬。 你呢？
李立	我喜歡畫牛，羊和房子。

第 二 部	Part 2
李ㄌㄧˇ欣ㄒㄧㄣ欣ㄒㄧㄣ	林ㄌㄧㄣˊ一ㄧ平ㄆㄧㄥˊ，你ㄋㄧˇ喜ㄒㄧˇ歡ㄏㄨㄢ看ㄎㄢˋ電ㄉㄧㄢˋ視ㄕˋ嗎ㄇㄚ？
林ㄌㄧㄣˊ一ㄧ平ㄆㄧㄥˊ	喜ㄒㄧˇ歡ㄏㄨㄢ。 你ㄋㄧˇ呢ㄋㄜ？
李ㄌㄧˇ欣ㄒㄧㄣ欣ㄒㄧㄣ	我ㄨㄛˇ也ㄧㄝˇ喜ㄒㄧˇ歡ㄏㄨㄢ。
	你ㄋㄧˇ喜ㄒㄧˇ歡ㄏㄨㄢ看ㄎㄢˋ什ㄕˊ麼ㄇㄜ節ㄐㄧㄝˊ目ㄇㄨˋ？
林ㄌㄧㄣˊ一ㄧ平ㄆㄧㄥˊ	我ㄨㄛˇ喜ㄒㄧˇ歡ㄏㄨㄢ看ㄎㄢˋ卡ㄎㄚˇ通ㄊㄨㄥ。恐ㄎㄨㄥˇ龍ㄌㄨㄥˊ卡ㄎㄚˇ通ㄊㄨㄥ。
李ㄌㄧˇ欣ㄒㄧㄣ欣ㄒㄧㄣ	喔ㄛ！我ㄨㄛˇ跟ㄍㄣ你ㄋㄧˇ一ㄧ樣ㄧㄤˋ。我ㄨㄛˇ也ㄧㄝˇ好ㄏㄠˇ喜ㄒㄧˇ歡ㄏㄨㄢ恐ㄎㄨㄥˇ龍ㄌㄨㄥˊ。這ㄓㄜˋ個ㄍㄜ星ㄒㄧㄥ期ㄑㄧ六ㄌㄧㄡˋ城ㄔㄥˊ裡ㄌㄧˇ有ㄧㄡˇ恐ㄎㄨㄥˇ龍ㄌㄨㄥˊ大ㄉㄚˋ展ㄓㄢˇ。我ㄨㄛˇ媽ㄇㄚ會ㄏㄨㄟˋ帶ㄉㄞˋ

我們去看。你爸媽會帶你去看嗎？

林一平　不知道。
我要去問他們。

Ⅱ 生字生詞

（Vocabulary & Expressions）

1. 嗜好 hobby
   shr̀hàu

2. 週末 weekend
   jōumuò

3. 打球 to play ball
   dǎ chióu

4. 騎 to ride（a horse
   chi   or bicycle）

5. 腳踏車 bicycle
   jiǎutà chē

6. 有時 sometimes
   yǒu shŕ

7. 露營 camping
   lù yíng

8. 討厭 to (hate) dislike
   tǎu yàn

9. 畫兒 picture,
   huàr   painting

10. 馬 horse
    mǎ

11. 牛 cow
    nióu

12. 羊 sheep
    yáng

13. 看 to watch
    kàn

14. 電視 television
    diànshr̀

15. 節目 program
    jiémù

16. 卡通 cartoon
    kǎtūng

17. 恐龍 dinosaur
    kǔnglúng

18. 一樣 the same
    yíyàng

45

19. 城裡 chéngli　　in town

20. 展 jǎn　　show, exhibit

21. 帶 dài　　to bring

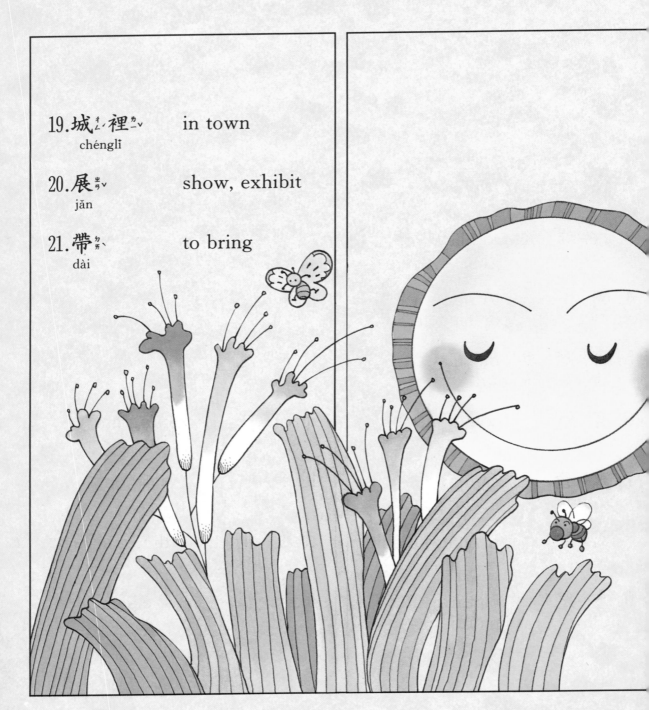

46

Ⅲ 句型練習

(Pattern Practice)

1. 你　　　週末　　　都做些什麼？

　　他　　　星期天

　　你姐姐星期五

2. 我打球，　騎腳踏車，　有時去露營。

　　她露營，　寫信，　有時去打球。

　　他哥哥畫畫兒，　看電視，　有時

　　去打球。

Ⅲ 句型練習

（ Pattern Practice ）

3. 你　　　　　有些什麼　　嗜好？

　　你家裡　　　　　　　　人

　　冰箱裡　　　　　　　　水果

4. 我跟你一樣，　我也好喜歡　恐龍。

　　他　　　　　　　他　　　　老虎

　　你跟他　　　　　你　　　　電腦

48

5. 這(ㄓㄜˋ)個(ㄍㄜˋ)星(ㄒㄧㄥ)期(ㄑㄧˊ)六(ㄌㄧㄡˋ)城(ㄔㄥˊ)裡(ㄌㄧˇ)有(ㄧㄡˇ)恐(ㄎㄨㄥˇ)龍(ㄌㄨㄥˊ)大(ㄉㄚˋ)展(ㄓㄢˇ)。

　　週(ㄓㄡ)　末(ㄇㄛˋ)　　　　　電(ㄉㄧㄢˋ)腦(ㄋㄠˇ)大(ㄉㄚˋ)展(ㄓㄢˇ)

　　星(ㄒㄧㄥ)期(ㄑㄧˊ)天(ㄊㄧㄢ)我(ㄨㄛˇ)家(ㄐㄧㄚ)有(ㄧㄡˇ)生(ㄕㄥ)日(ㄖˋ)會(ㄏㄨㄟˋ)

6. 我(ㄨㄛˇ)媽(ㄇㄚ)會(ㄏㄨㄟˋ)帶(ㄉㄞˋ)我(ㄨㄛˇ)們(ㄇㄣ˙)去(ㄑㄩˋ)看(ㄎㄢˋ)。

　　爸(ㄅㄚˋ)爸(ㄅㄚ˙)會(ㄏㄨㄟˋ)帶(ㄉㄞˋ)你(ㄋㄧˇ)們(ㄇㄣ˙)去(ㄑㄩˋ)打(ㄉㄚˇ)球(ㄑㄧㄡˊ)。

　　哥(ㄍㄜ)哥(ㄍㄜ˙)可(ㄎㄜˇ)以(ㄧˇ)帶(ㄉㄞˋ)我(ㄨㄛˇ)去(ㄑㄩˋ)王(ㄨㄤˊ)芸(ㄩㄣˊ)家(ㄐㄧㄚ)

Ⅳ英 譯

(English Translation)

Part 1：

王ㄨㄤˊ 芸ㄩㄣˊ　What do you do on the weekend?

李ㄌㄧˇ 立ㄌㄧˋ　I play ball, ride my bike, and sometimes go camping. What about you? Do you have any hobbies?

王ㄨㄤˊ 芸ㄩㄣˊ　I also play ball and ride my bike, but we don't go camping. My mom hates camping.

王ㄨㄤˊ 芸ㄩㄣˊ　Do you like to draw?

李ㄌㄧˇ 立ㄌㄧˋ　Yes. Do you?

王ㄨㄤˊ 芸ㄩㄣˊ　Yes, I do. I like to draw people and horses. What about you?

李ㄌㄧˇ 立ㄌㄧˋ　I like to draw cows, sheep, and houses.

Part 2：

李欣欣　　林一平， do you like to watch T. V. ?

林一平　　Yes. Do you?

李欣欣　　Yes, I do. What programs do you like?

林一平　　I like to watch cartoons -- dinosaur cartoons.

李欣欣　　Oh! So do I. I love dinosaurs, too. There'll be a big dinosaur exhibit in town this coming Saturday. My mom's going to bring us there. Will your mom and dad bring you there?

林一平　　I don't know. I'm going to ask them.

V 寫中國字

Let's learn how to write Chinese characters.
Please follow the stroke order and write each one ten time

生字及注音		部首	筆	順
水 ㄕㄨㄟˇ	shuěi	水 ㄕㄨㄟˇ	ㄱ ㄱ 水 水	
果 ㄍㄨㄛˇ	guǒ	木 ㄇㄨˋ	丶 口 曰 旦 旦 里 甲 果	
西 ㄒㄧ	shi	西 ㄒㄧ	一 ㄒ 兀 兀 兀 西	
瓜 ㄍㄨㄚ	guā	瓜 ㄍㄨㄚ	ノ 厂 爪 瓜 瓜	
汁 ㄓ	jr	水(氵)ㄕㄨㄟˇ	丶 丶 氵 汁 汁	
去 ㄑㄩ	chìu	ㄙ	一 十 土 去 去	
吃 ㄔ	chr	口 ㄎㄡˇ	丶 丷 口 叮 吃 吃	
可 ㄎㄜˇ	kě	口 ㄎㄡˇ	一 丁 丁 可 可	
樂 ㄌㄜˋ	lè	木 ㄇㄨˋ	ノ ㄠ ㄠ 幺 幼 幼 絈 絈 絈 樂 樂 樂 樂 樂 樂	
兩 ㄌㄧㄤˇ	liǎng	入 ㄖㄨˋ	一 丆 ㄍ 而 雨 雨 兩 兩	
很 ㄏㄣˇ	hěn	彳	ノ ノ 彳 彳 彳 彳 很 很 很	
喝 ㄏㄜ	hē	口 ㄎㄡˇ	丶 丷 口 叩 叩 呷 喝 喝 喝 喝 喝	
渴 ㄎㄜˇ	kě	水(氵)ㄕㄨㄟˇ	丶 丶 氵 氵 沪 沪 沪 沪 渴 渴 渴 渴	
喜 ㄒㄧˇ	shǐ	口 ㄎㄡˇ	一 十 土 吉 吉 吉 吉 吉 吉 喜 喜	
歡 ㄏㄨㄢ	huān	欠 ㄑㄧㄢˋ	丶 丷 丷 艹 艹 萉 萉 萉 萉 萉 萉 萉 萉 萉 萉 蓷 蓷 雚 歡 歡 歡	

52

Ⅵ 讀中國字

Let's learn how to read Chinese characters.

水	他要水果
果	什麼水果
西	西瓜好
瓜	大西瓜
汁	(水)果汁 (fruit juice)
去	幾個人去？
吃	你吃什麼？
可	我們都要可樂。
樂	你也要可樂嗎？
兩	兩個人吃一個西瓜
很	他的嘴巴很小
喝	他不喝(水)果汁
渴	我們都很渴
喜	小妹妹喜歡媽媽
歡	你喜歡喝什麼？

Ⅶ 你會讀下面的句子嗎？

Can you read the following sentences ?

1. 爸爸問我要喝什麼？
2. 老師來了，請坐，請喝可樂。
3. 媽媽喜歡吃西瓜，不要可樂。
4. 我很喜歡吃水果，不喜歡喝（水）果汁。
5. 哥哥回來了，他很渴，要喝可樂。
6. 一個大西瓜，兩個人吃好不好？
7. 大西瓜 ㄑㄧㄝ 十二 ㄆㄧㄢˋ 好嗎？
   一個人兩 ㄆㄧㄢˋ 。
8. 王伯伯，請喝可樂。謝謝，我不渴。
9. 我喜歡吃 ㄒㄧㄤ ㄐㄧㄠ ，他不喜歡。
10. 我們要 ㄇㄞˇ 什麼水果？西瓜， ㄒㄧㄤ
    ㄐㄧㄠ， ㄘㄠˇ ㄇㄟˊ ，也 ㄇㄞˇ 可樂好嗎？

第四課
Dì Sì Kè

暑假

Summer Vacation

I 對 話

(Dialogue)

第 一 部	Part 1
李立	暑假有什麼計畫？
王芸	我們全家都要去旅行。
李立	上那兒去？
王芸	去加州。我們要去海洋世界，環球影城，迪斯耐樂園和其他好玩的地方。你們呢？
李立	我們全家都要去台灣。我

們要去看爺爺，奶奶，外公，外婆，伯伯，叔叔，姑姑，舅舅，阿姨和表哥表妹。

王芸　你們除了看親戚，還要上那兒玩？

李立　我們要參觀博物館。我爸媽很喜歡古董。我媽特別喜歡中國古畫兒和瓷器。

I 對　話

(Dialogue)

王　芸	還有呢？
李　立	喔！對了！野生動物園。我們要去看老虎，獅子，大象和大大小小的猴子。我妹妹最喜歡台灣猴。
王　芸	我覺得野生動物園比博物館好玩兒。
李　立	我覺得野生動物園跟博物館都很好玩兒。

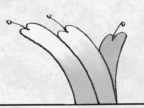

II 生字生詞

（ Vocabulary & Expressions ）

1. 暑假 shǔ jià — summer vacation

2. 計畫 jì huà — plan

3. 全家 chiuán jiā — the whole family

4. 旅行 liǔshíng — to travel

5. 加州 jiā jōu — California

6. 海洋世界 hǎiyáng shřjiè — Sea World

7. 環球影城 huánchióu yǐngchéng — Universal Movie Studio

8. 迪斯耐樂園 dísznài lèyuán — Disneyland

9. 其他 chitā — some other

10. 好玩的 hǎuwánde — fun

11. 地方 dìfāng — place

12. 台灣 Táiwān — Taiwan

13. 爺爺 yéye — grandpa （ on father's side ）

14. 奶奶 nǎinai — grandma （ on father's side ）

15. 外公 wàigūng — grandpa (on mother's side)

16. 外婆 wàipuó — grandma (on mother's side)

17. 叔叔 shúshu — uncle （ father's younger brother ）

59

18. 姑ㄍㄨ姑ㄍㄨ aunt
　　gūgu 　　(father's sister)

19. 阿ㄚ姨一 aunt
　　āyí 　　(mother's sister)

20. 表ㄅㄠ哥ㄍㄜ cousin
　　biǎugē 　　(son of your mother's brother or sister who is older than you)

21. 表ㄅㄠ妹ㄇㄟ cousin
　　biǎumèi 　　(daughter of your mother's brother or sister who is younger than you)

22. 親ㄑㄧㄣ戚ㄑㄧ relative
　　chīnchi

23. 參ㄘㄢ觀ㄍㄨㄢ to visit
　　tsānguān 　　(a place)

24. 古ㄍㄨ董ㄉㄨㄥ antique
　　gǔdǔng

25. 特ㄊㄜ別ㄅㄧㄝ especially
　　tèbié

26. 古ㄍㄨ ancient
　　gǔ

27. 瓷ㄘ器ㄑㄧ porcelain
　　tsź chi

28. 野一ㄝ生ㄕㄥ動ㄉㄨㄥ物ㄨ園ㄩㄢ
　　yěshēng dùngwù yuán　safari park
　　　　　　　　　　　　(wild animal zoo)

29. 大ㄉㄚ大ㄉㄚ小ㄒㄧㄠ小ㄒㄧㄠ的ㄉㄜ big and small, all kinds
　　dàda shiaushiǎu de

30. 最ㄗㄨㄟ most
　　tzuèi

31. 覺ㄐㄩㄝ得ㄉㄜ feel
　　juéde

32. 比ㄅㄧ to compare
　　bǐ

Ⅲ 句型練習

（ Pattern Practice ）

1. 暑假 有什麼 計畫？

   週末 事？

   明天 事？

2. 我們要去加州， 台灣和其他地方。

   爸爸要吃西瓜， 香蕉和其他水果。

3. 我們要去看爺爺奶奶。

   你們要去看外公外婆。

   李立要去打球， 露營。

   媽媽要參觀博物館。

Ⅲ 句型練習

(Pattern Practice)

4. 你ㄋㄧˇ們ㄇㄣ˙除ㄔㄨˊ了ㄌㄜ˙看ㄎㄢˋ親ㄑㄧㄣ戚ㄑㄧˋ， 還ㄏㄞˊ要ㄧㄠˋ上ㄕㄤˋ那ㄋㄚˇ兒ㄦˊ玩ㄨㄢˊ？

他ㄊㄚ們ㄇㄣ˙除ㄔㄨˊ了ㄌㄜ˙洗ㄒㄧˇ手ㄕㄡˇ， 還ㄏㄞˊ要ㄧㄠˋ做ㄗㄨㄛˋ什ㄕㄣˊ麼ㄇㄜ˙？

媽ㄇㄚ媽ㄇㄚ˙除ㄔㄨˊ了ㄌㄜ˙買ㄇㄞˇ菜ㄘㄞˋ， 還ㄏㄞˊ要ㄧㄠˋ上ㄕㄤˋ那ㄋㄚˇ兒ㄦˊ去ㄑㄩˋ？

5. 我ㄨㄛˇ媽ㄇㄚ 特ㄊㄜˋ別ㄅㄧㄝˊ 喜ㄒㄧˇ歡ㄏㄨㄢ中ㄓㄨㄥ國ㄍㄨㄛˊ古ㄍㄨˇ畫ㄏㄨㄚˋ兒ㄦˊ。

她ㄊㄚ 愛ㄞˋ看ㄎㄢˋ卡ㄎㄚˇ通ㄊㄨㄥ

我ㄨㄛˇ 愛ㄞˋ吃ㄔ水ㄕㄨㄟˇ果ㄍㄨㄛˇ

我ㄨㄛˇ爸ㄅㄚˋ 最ㄗㄨㄟˋ 愛ㄞˋ吃ㄔ冰ㄅㄧㄥ淇ㄑㄧˊ淋ㄌㄧㄣˊ

6. 動ㄨˋ物ㄨˋ園ㄩㄢˊ比ㄅㄧˇ博ㄅㄛˊ物ㄨˋ館ㄍㄨㄢˇ好ㄏㄠˇ玩ㄨㄢˊ兒ㄦˊ（ㄨㄚˊ ㄦ）。

博ㄅㄛˊ物ㄨˋ館ㄍㄨㄢˇ比ㄅㄧˇ動ㄨˋ物ㄨˋ園ㄩㄢˊ好ㄏㄠˇ玩ㄨㄢˊ兒ㄦˊ（ㄨㄚˊ ㄦ）

大ㄉㄚˋ象ㄒㄧㄤˋ的ㄉㄜ˙鼻ㄅㄧˊ子ㄗ˙比ㄅㄧˇ你ㄋㄧˇ的ㄉㄜ˙鼻ㄅㄧˊ子ㄗ˙長ㄔㄤˊ

這ㄓㄜˋ個ㄍㄜ˙蘋ㄆㄧㄥˊ果ㄍㄨㄛˇ比ㄅㄧˇ那ㄋㄚˋ個ㄍㄜ˙蘋ㄆㄧㄥˊ果ㄍㄨㄛˇ大ㄉㄚˋ

我ㄨㄛˇ家ㄐㄧㄚ的ㄉㄜ˙狗ㄍㄡˇ比ㄅㄧˇ你ㄋㄧˇ家ㄐㄧㄚ的ㄉㄜ˙狗ㄍㄡˇ小ㄒㄧㄠˇ

7. 動ㄨˋ物ㄨˋ園ㄩㄢˊ跟ㄍㄣ博ㄅㄛˊ物ㄨˋ館ㄍㄨㄢˇ都ㄉㄡ很ㄏㄣˇ好ㄏㄠˇ玩ㄨㄢˊ兒ㄦˊ（ㄨㄚˊ ㄦ）。

打ㄉㄚˇ球ㄑㄧㄡˊ　　　露ㄌㄨˋ營ㄧㄥˊ　　　好ㄏㄠˇ玩ㄨㄢˊ兒ㄦˊ（ㄨㄚˊ ㄦ）

你ㄋㄧˇ　　　　　她ㄊㄚ　　　　　漂ㄆㄧㄠˋ亮ㄌㄧㄤ˙

63

Ⅳ 英 譯

(English Translation)

Part 1：

李ㄌㄧˇ	立ㄌㄧˋ	What plans do you have for the summer vacation?
王ㄨㄤˊ	芸ㄩㄣˊ	Our whole family is going traveling.
李ㄌㄧˇ	立ㄌㄧˋ	Where to?
王ㄨㄤˊ	芸ㄩㄣˊ	California. We're going to Sea World, Universal Movie Studio, Disneyland, and some other fun places. What about you?
李ㄌㄧˇ	立ㄌㄧˋ	Our whole family is going to Taiwan. We're going to see our grandpas, grandmas, uncles, aunts and cousins.
王ㄨㄤˊ	芸ㄩㄣˊ	Besides visiting relatives, where else are you going?

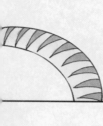

李立ㄌㄧˇ ㄌㄧˋ	We want to visit some museums. My mom and dad like antiques very much. Mom especially likes ancient Chinese paintings and porcelain.
王芸ㄨㄤˊ ㄩㄣˊ	Anything else?
李立ㄌㄧˇ ㄌㄧˋ	Oh! Yes, the safari park. We're going to see tigers, lions, elephants, and all kinds of monkeys. My younger sister likes Taiwan monkeys best.
王芸ㄨㄤˊ ㄩㄣˊ	I think the safari park is more fun than the museum.
李立ㄌㄧˇ ㄌㄧˋ	I think both of them are fun.

VI 讀中國字

Let's learn how to read Chinese characters.

牛	吃牛肉
奶	喝牛奶
土	土司
司	我要土司
飯	不要吃飯
咖	咖啡
啡	喝咖啡
茶	你要不要喝茶
蛋	他不吃蛋
先	你先吃土司 ㄏㄜˊ 蛋
沒	沒有，沒有水果
點	點心
餐	早餐，西餐
湯	喝湯
肉	牛肉

V 寫中國字

Let's learn how to write Chinese characters.
Please follow the stroke order and write each one ten times.

生字及注音		部首	筆 順
牛 ㄋㄧㄡˊ	nióu	牛 ㄋㄧㄡˊ	ノ ㇒ 二 牛
奶 ㄋㄞˇ	nǎi	女 ㄋㄩˇ	㇛ 乄 女 奶 奶
土 ㄊㄨˇ	tǔ	土 ㄊㄨˇ	一 十 土
司 ㄙ	sz	口 ㄎㄡˇ	㇆ ㇕ 司 司 司
飯 ㄈㄢˋ	fàn	食 ㄕˊ	ノ 人 𠆢 今 今 今 食 食 飠 飯 飯 飯
咖 ㄎㄚ	kā	口 ㄎㄡˇ	㇔ ㇑ 口 叮 叻 咖 咖 咖
啡 ㄈㄟ	fēi	口 ㄎㄡˇ	㇔ ㇑ 口 叮 叶 叶 啡 啡 啡 啡
茶 ㄔㄚˊ	chá	艸（艹）ㄘㄠˇ	㇀ 十 卄 艹 芍 茇 荶 苓 茶 茶
蛋 ㄉㄢˋ	dàn	虫 ㄏㄨㄟˇ	一 ㇅ 丆 疋 疋 疋 蛋 蛋 蛋 蛋 蛋
先 ㄒㄧㄢ	shiān	儿 ㄖㄣˊ	ノ ㇒ 牛 生 步 先
沒 ㄇㄟˊ	méi	水（氵）ㄕㄨㄟˇ	㇔ 冫 氵 氵 沪 汐 沒
點 ㄉㄧㄢˇ	diǎn	火 ㄏㄨㄛˇ	㇑ 口 口 甲 甲 里 里 黒 黑 黑 黑 黒 黙 點 點 點
餐 ㄘㄢ	tsān	食 ㄕˊ	㇔ ㇀ 夕 夗 夗 奴 奴 歺 殑 殆 飱 飱 餐 餐 餐
湯 ㄊㄤ	tāng	水（氵）ㄕㄨㄟˇ	㇔ 冫 氵 氵 沪 沪 沪 浔 湯 湯 湯 湯
肉 ㄖㄡˋ	ròu	肉 ㄖㄡˋ	㇑ 冂 内 内 肉 肉

67

Ⅶ 你會讀下面的句子嗎？

Can you read the following sentences？

1. 小妹妹很喜歡喝牛奶。

2. 爸爸喝咖啡，他不要牛奶。

3. 你要吃幾 ㄆㄧㄢˋ 土司？三 ㄆㄧㄢˋ。

4. 校車快來了，我不要吃早餐（飯）。

5. 媽媽喝茶，不喝咖啡，也不喝牛奶。

6. 他吃了 ㄌㄧㄤˇ 個ㄐㄧ蛋，我不吃。

7. 早飯你喜歡吃什麼？土司、咖啡，我不要蛋。

8. 吃 ㄨㄢˇ 飯不要先喝可樂，喝湯好不好？

9. 你要什麼肉？牛肉、 ㄓㄨ肉都可 ㄧˇ。

10. 弟弟吃西瓜、喝牛奶，他不喜歡喝水。

生字生詞索引	Index		

注音符號第一式 (MPSI)	生 字 生 詞 Shēngtż Shēngtsź Vocabulary & Expressions	注音符號第二式 （MPSⅡ）	英　　　　　　　譯 English Translation	課 及頁 Lesson -page
ㄅ				
ㄅㄛ	博物館	buówù guǎn	museum	1-9
ㄅㄧ	比	bǐ	to compare	4-6(
	比方說	bǐfāng shuō	for example, for instance	2-3(
ㄅㄧㄠ	表妹	biǎumèi	cousin (daughter of your mother's brother or sister who is younger than you)	4-6(
	表哥	biǎugē	cousin (son of your mother's brother or sister who is older than you)	4-6(
ㄅㄧㄢ	變	biàn	to change	1-1
ㄅㄨ	不錯	bútsuò	not bad	1-9
	不要	bú yàu	No, I don't want it.	2-2
	布	bù	cloth	2-2
ㄆ				
ㄆㄣ	噴水池	pēnshuěi chŕ	fountain	1-1
ㄆㄧㄥ	平房	píng fáng	ranch house	1-
ㄇ				

馬ㄇㄚˇ	mǎ	horse	3-45

ㄈ			

| 方ㄈㄤ 向ㄒㄧㄤˋ | fāngshiàng | direction | 1-10 |
| 房ㄈㄤˊ 子ㄗ˙ | fángtz | house | 1-9 |

ㄉ			

打ㄉㄚˇ	dǎ	to fight, to hit	2-29
打ㄉㄚˇ 球ㄑㄧㄡˊ	dǎ chióu	to play ball	3-45
大ㄉㄚˋ 大ㄉㄚˋ 小ㄒㄧㄠˇ 小ㄒㄧㄠˇ 的ㄉㄜ˙	dàda shiǎushiǎu de	big and small, all kinds	4-60
帶ㄉㄞˋ	dài	to bring	3-46
當ㄉㄤ 然ㄖㄢˊ	dāng rán	of course	1-10
狄ㄉㄧˊ 斯ㄙ 耐ㄋㄞˋ 樂ㄌㄜˋ 園ㄩㄢˊ	dísznài lèyuán	Disneyland	4-59
地ㄉㄧˋ 方ㄈㄤ	dìfāng	place	4-59
地ㄉㄧˋ 基ㄐㄧ	dìjī	foundation	1-9
電ㄉㄧㄢˋ 腦ㄋㄠˇ	diànnǎu	computer	2-29
電ㄉㄧㄢˋ 視ㄕˋ	diànshr̀	television	3-45
動ㄉㄨㄥˋ	dùng	to move	1-10

71

生字生詞索引 | Index

注音符號第一式 （MPSI）	生 字 生 詞 Shēngtz̀ Shēngtsź Vocabulary & Expressions	注音符號第二式 （MPSⅡ）	英　　　　　　譯 English Translation	課 Less
		ㄅ		
	棟ㄉㄨㄥˋ	dùng	measure word for buildings	1-9
		ㄊ		
ㄊㄜ	特ㄊㄜˋ別ㄅㄧㄝˊ	tèbié	especially	4-6
ㄊㄞ	台ㄊㄞˊ灣ㄨㄢ	táiwān	Taiwan	4-5
ㄊㄠ	討ㄊㄠˇ厭ㄧㄢˋ	tǎu yàn	to hate	3-4
	討ㄊㄠˇ厭ㄧㄢˋ的ㄉㄜ	tǎuyànde	annoying	2-4
ㄊㄨ	圖ㄊㄨˊ	tú	picture	2-2
	圖ㄊㄨˊ案ㄢˋ	tú àn	pattern	2-3
ㄊㄨㄛ	橢ㄊㄨㄛˇ圓ㄩㄢˊ形ㄒㄧㄥˊ	tuǒyuán shíng	oval	1-1
		ㄋ		
ㄋㄞ	奶ㄋㄞˇ奶ㄋㄞ	nǎinai	grandma (on father's side)	4-5
ㄋㄧㄡ	牛ㄋㄧㄡˊ	nióu	cow	3-4
		ㄌ		
ㄌㄨ	露ㄌㄨˋ營ㄧㄥˊ	lù yíng	camping	3-4
ㄌㄨㄣ	輪ㄌㄨㄣˊ子ㄗ	luéntz	wheel	1-1

72

旅ㄌㄩˇ行ㄒㄧㄥˊ	liǔshíng	to travel	4-59

ㄍ

各ㄍㄜˋ式ㄕˋ各ㄍㄜˋ樣ㄧㄤˋ的˙ㄉㄜ	gèshǐ gèyàngde	all kinds	2-30
蓋ㄍㄞˋ	gài	to build	1-9
姑ㄍㄨ姑˙ㄍㄨ	gūgu	aunt (father's sister)	4-60
古ㄍㄨˇ	gǔ	ancient	4-60
古ㄍㄨˇ董ㄉㄨㄥˇ	gǔdǔng	antique	4-60
過ㄍㄨㄛˋ	guò	have (has) done (in the past)	2-29

ㄎ

咖ㄎㄚ啡ㄈㄟ色ㄙㄜˋ	kāfēi sè	brown	1-10
卡ㄎㄚˇ通ㄊㄨㄥ	kǎtūng	cartoon	3-45
看ㄎㄢˋ	kàn	to watch	3-45
恐ㄎㄨㄥˇ龍ㄌㄨㄥˊ	kǔnglúng	dinosaur	3-45

ㄏ

哈ㄏㄚ	hā	Ha!	2-29
海ㄏㄞˇ洋ㄧㄤˊ世ㄕˋ界ㄐㄧㄝˋ	hǎiyáng shǐjiè	Sea World	4-59
好ㄏㄠˇ玩ㄨㄢˊ的˙ㄉㄜ	hǎuwánde	fun	4-59

生字生詞索引	Index

注音符號第一式 (MPSI)	生 字 生 詞 Shēngtż Shēngtsź Vocabulary & Expressions	注音符號第二式 （MPSⅡ）	英　　　　　　　　譯 English Translation	課 Less
		ㄏ		
ㄏㄨㄚ	畫	huà	to draw	2-3
	畫兒	huàr	picture, painting	3-3
ㄏㄨㄛ	或	huò	or	1-1
ㄏㄨㄢ	環球影城	huánchióu yǐngchéng	Universal Studio	4-5
		ㄐ		
ㄐㄧ	積木	jimù	building blocks	1-9
	機器人	jīchì rén	robot	2-29
	計畫	jì huà	plan	4-5
ㄐㄧㄚ	加	jiā	to add, addition	2-30
	加州	jiā jōu	California	4-59
ㄐㄧㄝ	節目	jiemù	program	3-4
ㄐㄧㄠ	腳踏車	jiǎutà chē	bicycle	3-4
ㄐㄧㄡ	就	jiòu	just	1-9
ㄐㄧㄢ	減	jiǎn	to subtract, subtraction	2-3
	剪刀	jiǎndāu	scissors	2-2

覺得	juéde	feel	4-60

ㄑ

騎	chí	to ride (a horse or bicycle)	3-45
其他	chítā	some other	4-59
汽車	chìchē	car	1-10
親戚	chinchi	relative	4-60
牆壁	chíangbì	wall	1-9
全家	chiuán jiā	the whole family	4-59

ㄒ

習題	shítí	exercise	2-30
寫	shiě	to write	2-30
先	shiān	first	1-9
信	shìn	letter	2-30

ㄓ

週末	jōumuò	weekend	3-45
展	jǎn	show, exhibit	3-46
戰	jàn	to battle	2-29
真好玩兒	jēn hǎuwár	a lot of fun	1-11

ㄗ

	漢字	注音	英文	課
	怎麼樣	tzěmme yàng	what about, how about	1-9
	再	tzài	more, again	2-29
	作文	tzuòwén	composition	2-30
	最	tzuèi	most	4-60

ㄘ

	瓷器	tsź chì	procelain	4-60
	猜拳	tsāi chiuán	a finger guessing game; mora	2-29
	參觀	tsānguān	to visit (a place)	4-60

ㄙ

	死	sž	to die	2-29
	三角形	sānjiǎu shíng	triangular, triangle	1-10
	算術	suànshù	arithmetic	2-30

ㄚ

	阿姨	āyí	aunt (mother's sister)	4-60

ㄢ

	按	àn	to press	1-10

生字生詞索引	Index

注音符號第一式 (MPSI)	生 字 生 詞 Shēngtż Shēngtsź Vocabulary & Expressions	注音符號第二式 （MPS II）	英　　　　　　譯 English Translation	課 Less
一	一一樣	yíyàng	the same	3-4
一ㄝ	爺爺	yéye	grandpa (on father's side)	4-5
	野生動物園	yěshēng dùngwù yuán	safari park (wild animal zoo)	4-6
一ㄠ	遙控	yáukùng	remote control	1-1
	遙控器	yáukùng chì	remote control	1-1
一ㄡ	遊戲	yóushì	game	2-2
	有時	yǒu shŕ	sometimes	3-4
一ㄤ	羊	yáng	sheep	3-4
一ㄥ	贏	yíng	to win	2-2
一ㄚ	呀	ya	(final particle indicating admiration agreement or exhortation)	2-3

ㄨ				
ㄨ	巫婆	wūpuó	witch	2-2
	屋頂	wūdǐng	roof	1-9
ㄨㄚ	哇	wa	(final particle indicating admiration agreement or exhortation)	1-9

ㄨㄞ	外ㄨㄞˋ婆ㄆㄛˊ	wàipuó	grandma (on mother's side)	4-59
	外ㄨㄞˋ公ㄍㄨㄥ	wàigūng	grandpa (on mother's side)	4-59
ㄨㄢ	玩ㄨㄢˊ	wán	to play	1-9
	玩ㄨㄢˊ具ㄐㄩˋ	wán jiù	toy	1-9
ㄩ				
ㄩㄢ	圓ㄩㄢˊ形ㄒㄧㄥˊ	yuán shíng	round, circle	1-10
ㄩㄥ	用ㄩㄥˋ	yùng	to use	1-9

來！大家唱

幼平 詞
基子 曲

來！大家歌唱，莫負好時光，

百鳥爭鳴，萬花開放！

一片新氣象，處處新希望，

小朋友呀勤學習，大家來歌唱。

春神來了

莫差爾特　曲
沈秉廉　配詞

春神來了怎知道？梅花黃鶯報告。

梅花開頭先含笑，黃鶯接著唱新調。

歡迎春神試身手，快把世界改造。

什麼尖，什麼圓

浙江兒歌
李瑞木 詞

什麼 尖 ， 尖 上 天 ？ 什麼 尖尖 在 水 邊 ？
寶塔 尖 ， 尖 上 天 ， 菱角 尖尖 在 水 邊 。
什麼 圓 ， 圓 上 天 ？ 什麼 圓圓 在 水 邊 ？
太陽 圓 ， 圓 上 天 ， 荷葉 圓圓 在 水 邊 。

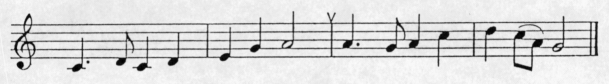

什麼 尖尖 街 上 賣 ？ 什麼 尖尖 姑娘 前 ？
粽子 尖尖 街 上 賣 ， 縫針 尖尖 姑娘 前 。
什麼 圓圓 街 上 賣 ？ 什麼 圓圓 姑娘 前 ？
燒餅 圓圓 街 上 賣 ， 鏡子 圓圓 姑娘 前 。

端陽節

陳遠嫻　詞曲

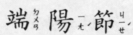

五月初五是端陽，同度佳節心歡暢。
甜粽鹹粽滿檯放，吃多吃少要小心。

人人海上看龍舟，精神奮發齊划槳。
紀念屈原意義大，愛國精神百代新。

兒童華語課本(四)中英文版

發　行　人：焦仁和

發　　　行：中華民國僑務委員會

編審委員會
召　集　人：洪冬桂

委　　　員：王孫元平、何景賢、宋靜如、馬昭華、陳士魁、
　　　　　　陳樹憲、葉德明、蔣武梅（按姓氏筆劃順序）

編　撰　人：中華語言研習所編輯小組

校　　　訂：陳士魁

美 工 編 輯：大南工作室

承　　　印：上海印刷廠服份有限公司

統 一 編 號
011099870166

4
兒童
華語課本
CHILDREN'S
CHINESE READER
中英文版
Chinese-English
Edition
OVERSEAS CHINESE AFFAIRS COMMISSION
中華民國僑務委員會印行

OVERSEAS CHINESE AFFAIRS COMMISSION
中華民國僑務委員會印行

ISBN 957-02-1651-4